Écrit par : Nicole Lebel et Francis Turenne
Illustré par : Francis Turenne
Révision des textes : Liara-Caroline Brault

Phil & Sophie : Je suis serviable
ISBN : 978-2-924044-20-9
Dépôt Légal - Bibliothèque et Archives Nationale du Québec, 2013
Dépôt Légal - Bibliothèque et Archives Canada, 2013

Imprimé au Canada

Créé et publié par Fablus

Fablus.ca

je suis serviable

Sophie est bien installée à la table
du salon. Elle met toute son attention
à fabriquer un beau collier.

Elle entend un bruit et lève les yeux.
Elle voit Phil qui approche de la maison
avec les bras chargés de son équipement
de baseball. Il peine à tout transporter !

« Pauvre Phil ! », se dit-elle.
Sophie se sent mal pour lui et elle court
l'aider en lui ouvrant la porte.

Phil est vraiment soulagé.

Sophie est contente de l'aider.

s
p

Sophie pense qu'elle apprécie aussi avoir
de l'aide quand elle est dans le pétrin !
Cela lui rappelle la fois où elle avait fait
tomber sa boîte de perles à collier et que
Phil l'avait aidée à tout remettre en place.

S

Elle sait que son frère aime bien la dorloter
et lui rendre des services. Comme le matin,
quand il lui apporte un bol de céréales.

Poncho est aussi serviable à ses heures.
Lors de matins frisquets, il apporte des
pantoufles à Phil lorsqu'il sort du lit.

Cela fait tellement plaisir à Poncho
de réchauffer les pieds de Phil,
qu'il bat toujours de la queue !

Sophie aime arroser les fleurs du jardin
de sa mamie. Cela la rend toujours joyeuse
de lui rendre service et, pour joindre l'utile à
l'agréable, les fleurs sentent tellement bon !

Quand Phil voit que son ami Dao
a les mains pleines, il n'hésite pas
une seconde et se précipite pour
lui ouvrir la porte.

P

Quand on aide les autres, on se sent
tellement bien, c'est comme un soleil
qui brille dans notre cœur !

Fais comme Phil, Sophie et Poncho,
choisis de faire plaisir aux gens
en leur rendant service.
Choisis d'être serviable !

S

Déjà parus dans la même collection :

1. Je suis franc
2. Je suis courageuse
3. Je suis optimiste
4. Je suis reconnaissant
5. Je suis patient
6. Je suis serviable
7. Je suis persévérant
8. Je suis écolo
9. Je suis calme
10. Je suis généreux
11. Je suis respectueux
12. Je suis responsable

Ministoires[MD] à colorier et certificats gratuits sur fablus.ca

© Fablus

Fablus

Ministoires[MD]

phil&sophie

fablus.ca